# Grignotin et Mentalo,
## animaux sauvages

Delphine Bournay

# Grignotin et Mentalo, animaux sauvages

*Illustrations de l'auteur*

*l'école des loisirs*
11, rue de Sèvres, Paris 6e

Du même auteur à *l'école des loisirs*

Collection MOUCHE

*Au château !*
*Grignotin et Mentalo*
*Grignotin des Bois et Mentalo de la Vega*
*Le correspondant de Grignotin et Mentalo*
*Grignotin et Mentalo présentent…*
*Le grand livre de Grignotin et Mentalo*
*Pommes d'amis*

ISBN 978-2-211-21525-1

© *2014, l'école des loisirs, Paris, pour la présente édition*
*dans la collection «Animax»*
© *2012, l'école des loisirs, Paris*
*Loi n° 49.956 du 16 juillet 1949 sur les publications*
*destinées à la jeunesse : avril 2012*
*Dépôt légal : avril 2014*
*Imprimé en France par Clerc à Saint-Amand-Montrond*

*Édition spéciale non commercialisée en librairie*

*À nos enfants sauvages*

# SOMMAIRE

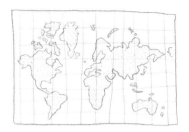

## La carte

## L'inventaire

## Les animaux sauvages

# La carte

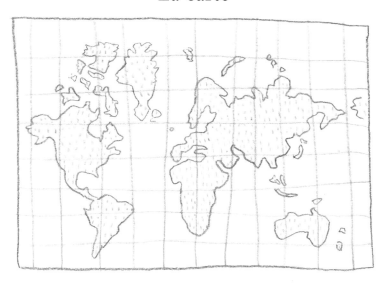

Quoi,
ça alors ?

Regarde la carte
du monde.

Eh bien?

14

Tu ne vois rien d'inquiétant ?
Notre forêt...

Elle est
où ?

Justement,
elle n'est pas là.

Montre !

Ça fait trois heures que je nous cherche. J'ai lu tous les petits mots, je ne trouve pas.

Et là, c'est quoi ?

Omsk.

Omsk ?

Omsk.

Chouchou,
c'est peut-être nous ?

Tu crois ? Mais nous,
c'est Forêt, non ?

Peut-être que nous sommes sur
une autre carte...

Une autre carte ?
Mais c'est la
carte du monde,
tout de même.

Je ne vois pas où
nous pourrions
être ailleurs que
sur le monde...

Non, je crois
plutôt qu'on
nous a oubliés
en dessinant
la carte.

Ce qui veut dire que personne ne soupçonne notre existence.

C'est horrible ! Personne ne viendra nous explorer.

Ne t' inquiète pas, Mentalo...

...J'ai du flair !

Et grâce à ce flair,
nous allons retrouver
l'endroit d'où nous
venons.

Snnnf...

Mon nez me guide,
snnnf... par ici.

Par ici ?
C'est Cartous.

Non, plutôt par là.
Voilà ! C'est là !

Faudrait savoir !
Là, c'est Turgutlu.

Turgutlu ?
Tu es sûr ?

Salut les copains !
Qu'est-ce que
vous faites ?

Nous flairons.

Nous flairons l'endroit d'où nous venons sur la carte du monde.

Ah ! Oui, c'est intéressant. Je peux essayer ?

Il peut ?

Il peut mais du bout du groin.

Snnnf ...

Snnnf ...

Sanglier ?

Hmmm...

Non mais qu'est-ce que tu mâchouilles, sanglier ?

Hmmm...

Tu n'as tout de même pas mangé la carte ?

Ce n'est pas la carte. C'est la confiture collée sur la carte.

Ah! Bravo!
Regarde le gros trou que tu as fait.
La carte est fichue !

Mais qu'est-ce qu'il a mangé
comme pays ?
Ça, impossible de le savoir !

À moins de lui ouvrir le ventre avec un grand couteau pour récupérer le morceau de carte mâchouillée.

Oh, non !

Pas le grand couteau !

Attendez ! Je vais retrouver le nom du pays. Laissez-moi voir la carte.

Ce pays... Cet habitant
avec son grand couteau !

Mais je le reconnais !
C'est notre pays !
C'est le trou de notre
pays. Avec ta maison,
Nentabo.

Ma maison ?

Fais voir !

C'est vrai !
C'est notre pays.

Tu vois, Mentalo ?

Je vois.

Je vois que vous essayez de m'embobiner.

Sanglier, tu vas rendre ce que tu as mangé ou bien je te transperce !

Pitié !

Zut, où ai-je mis
mon couteau ?

Vous n'auriez pas vu
le couteau ?
Mais qu'est-ce que
j'en ai fait ?

Zut et flûte !

Mentalo, écoute. Tu n'arriveras
jamais à ouvrir le ventre du
sanglier avec le couteau à beurre.

Sa peau est trop
épaisse. Et avec
les poils, on ne
s'en sortira pas.

Non, il ne nous
reste qu'une
chose à faire,
c'est réparer
la carte.

On ne peut pas
laisser le monde
dans cet état.

Tu as raison.

Papier !
Ciseaux !
Colle !
Feuilles !
Crayons !
Sanglier !

Et hop ! Un nouveau
pays pour la carte.

Moi, je dessinerai une rivière,
et toi ?

Des glands.

Et voilà, je crois que c'est fini.
Ce n'est pas mal du tout,
comme ça.

C'est un joli petit pays.

On pourrait l'appeler
Forêt, non ?

# L'inventaire

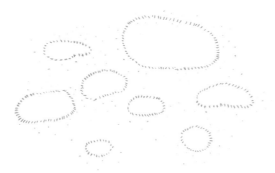

Et toi, tu vas là !

Avec tes copines.

Qu'est-ce que tu fais, Mentalo ?

Je range la forêt. Je classe et je trie. D'ailleurs, pendant que je compte les gastéropodes...

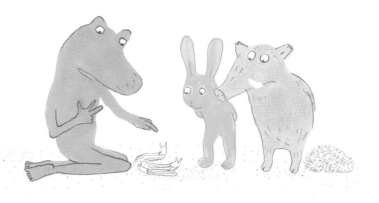

...J'aimerais bien que vous regroupiez les feuilles mortes par là-bas.

Comme ça, j'attaque les coléoptères.
Tu attaques les coléoptères ?

Oui, je les rassemble et je les compte pour les répertorier dans mon guide.

Le guide de la faune et de la flore de notre forêt. J'y présenterai toute la richesse de notre nature :

les oiseaux,

les mammifères,

les coléoptères,

les mousses,

les champignons,

les amphibiens.

Bref, tout ce qui
vit ici. Mais pour
ça, je dois mettre
de l'ordre dans
ce grand bazar.

43

Alors, Grignotin,
il va se faire
tout seul ce tas
de feuilles ?

Sanglier, il y a
les fougères à trier !

Vous, les champignons,
je vous range à côté
des gastéropodes.

Les ronces
avec les
ronces.

Sanglier, quand tu auras fini les
fougères, tu viendras te placer
au coin des
mammifères,
famille
des suidés !

Et Grignotin,
tu te poseras ici,
derrière les ronces,
côté mammifères
végétariens.

Moi ?

Oui, Grignotin,
toi aussi.
J'ai besoin
d'une forêt
impeccable.

Je demande à chacun
de se tenir à l'intérieur
du périmètre qui lui
est consacré...

Tut, tut, tut.

...et de ne plus en bouger,
au moins jusqu'à la
fin de l'écriture
de mon guide.

Aaaah, quelle belle forêt,
vous ne trouvez pas ?

Je vais juste faire une mini-sieste
avant de commencer mon
inventaire.
Crrrac !

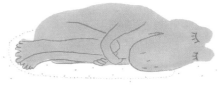

48

Tut tut tut ! Grignotin,
qu'est-ce que tu fabriques ?

J'allais voir le sanglier.

Pas question ! Tu te ranges
à ta place. Tu ne vas pas
mettre la pagaille
maintenant.

criiic !

Tut tut tut ! Qu'est-
ce que j'entends,
sanglier ?

J'ai faim, Mentalo.
Tu as placé les glands
à l'autre bout de mon
emplacement !

Or, les sangliers
et les glands ne
doivent jamais
se séparer.

Et puis j'en ai assez d'être
rangé. Je m'ennuie !

Nous souhaiterions nous
déranger un peu.

C'est hors de
question !

Pfuiiit !

Oh,
la chance !

Quoi ? Qu'est-ce que j'ai ?
Pourquoi tu me regardes
comme ça ?

Tu es mal rangé !

Pas du tout. Je suis bien rangé.
À la place des amphibiens
nageurs et sauteurs à peau lisse !

Je ne parle pas
de ta place !

Je parle de ton corps.

Mon corps ?!

Oui. Tes doigts du haut ne sont pas rangés avec tes doigts du bas.

Tu devrais rassembler tous tes doigts à la même place, or ils traînent partout.

Et ta figure... Tu as deux boules sur une grosse boule.
Elles ne sont même pas alignées.

C'est n'importe quoi !

Tu devrais rassembler tes deux pattes supérieures avec tes deux pattes inférieures.

Tu devrais te ranger comme ça.

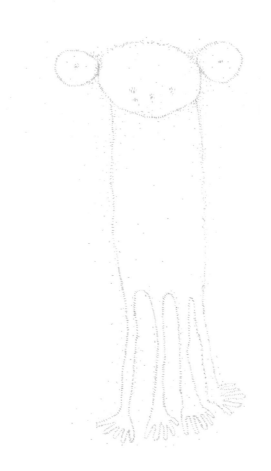

 Mais c'est impossible,
ce n'est pas moi !

Alors, tu nous déranges
dans notre rangement
de forêt !

Ah bon ?

Tu ne peux pas
rester ici.

Et si je
me plie ?

Comme ça !
Si j'aligne mes extrémités...
Comme ça, ça peut aller,
pas vrai, sanglier ?

Oui, s'il ne bouge
plus du tout.

Pfuiit !

Aïe !

Le vent se lève.
Bon sang, mes rangements !
Grignotin ?

Sanglier ?

Y'a plus personne ?

Si j'en profitais
pour me déranger
un peu...

Ça tire derrière
les pattes.
Non vraiment,
je ne peux pas
rester plié.

Je vais laisser
tomber, je crois.

Tant pis pour
l'inventaire.

Et si on se fait
explorer,
je peux toujours
faire visiter.

Mesdames,
messieurs,
sur votre droite,
une libellule
demoiselle ...

... et sur votre gauche,
un petit groupe de
hannetons
communs.

Grignotin !
Sanglier !
Revenez !

Vous allez rater
la visite guidée !

# Les animaux sauvages

Grignotin,
ce midi,
c'est moi
qui cuisine.
Écoute ça !

« Poulet Yassa :
coupez votre poulet
en morceaux,
puis badigeonnez-le
d'une marinade
de moutarde...

...et de jus
de citron.

Dans une pôele,
faites fondre vos
oignons. »

Hum !

« Dorez les
morceaux
de poulet
à feu vif,
puis... »

Mais où est-ce
qu'on va trouver
un poulet ?

Nous n'avons pas de
poulet dans la forêt.

Je sais Grignotin,

j'y ai longuement réfléchi. Nous n'avons pas de poulet, certes...

... mais nous avons ...

Nous avons ?

70

Nous avons la pie !
La pie fera un excellent
poulet !

La pie ?

Mais la pie ne sera
jamais d'accord.

Grignotin,
nous sommes
des animaux
sauvages...

... des animaux qui luttons pour notre survie.

La pie se fera manger de toute façon par un animal plus fort qu'elle.

Tu crois ?
Ça me fait
de la peine
pour la pie.

À moi aussi.
Mais c'est
la loi de la
nature.

Des animaux sauvages tels que nous, ne peuvent continuer à manger des mouches ou de l'herbe.

Nous allons construire un piège à pie. Regarde !

Je fais une boucle
avec cette ficelle.
Ce n'est pas
n'importe quelle
boucle.

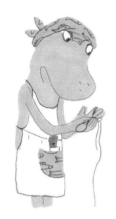

Lorsque la pie
posera la patte
là-dedans, la boucle
se refermera et...

... TAC !
Elle se
retrouvera
suspendue,
tête en bas...

... à une branche
du grand chêne.

Et ensuite ?

Ensuite,
j'assomme la pie
d'un coup
de bâton.

Et nous la coupons
en morceaux.

Oh !

Nous n'avons
pas le choix,
malheureuse-
ment.

Hum...

Nous pourrions
badigeonner la
pie vivante.
C'est sûrement tout
aussi délicieux.

On fait frire les oignons,
on ajoute la moutarde
et le citron.

Lorsque la sauce
a refroidi, on la
verse sur la pie.

Pour déguster
ce plat, on tire
les plumes de la
pie une par une.

On lèche
la sauce.

Et on les remet
sur l'oiseau une fois
la plume nettoyée.

Comme ça, on a le bon
goût de la sauce avec un
léger arrière-goût de pie.

C'est une bonne
idée, Grignotin.
Ce sera moins
cruel pour la pie.

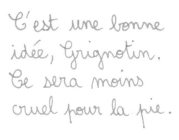

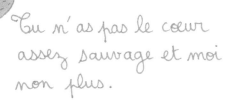

Tu n'as pas le cœur
assez sauvage et moi
non plus.

Essayons ta recette alors.
Va chercher la pie pendant
que je prépare le piège et
la sauce.

Pauvre pie.

Pauvre pie,
pauvre pie,
pauvre pie ...

Oui ?

Ah, la pie ! Tu es là...
Qu'est-ce
que tu
fais ?

Je ramasse
du bois pour
mon nid.

Celui que je construis
sur une branche
du grand chêne.

Sur une branche
du grand chêne !
Oh ! non, la pie,
ne va pas là-bas.

81

C'est dangereux.
On dit que rôdent
de terribles bêtes.

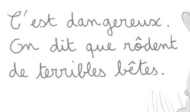

Pff...

Tu sais bien qu'il
n'y a aucune
terrible bête
dans notre forêt.

Non, non,
la pie !

Et TAC !

Aaaaah !

83

Ahhh !

Calme-toi,
la pie.

Comment va-t-on faire pour
poser la pie dans notre plat,
si elle gigote comme ça ?

Laisse-lui le temps
de s'habituer à la
situation.

La pie,
ça va ?

Mentalo,
regarde la pie,
elle est molle.

On dirait qu'elle a fait
un malaise.

Fais voir !
La pie ?

Mais elle est
complètement
molle !

Elle est même
morte, je crois.

Morte ?
Han !

Mais c'est terrible !
À cause de nous,
en plus de ça.

Quelle
horreur !

Enfin, si elle
avait été plus
coopérative,
ça ne serait
jamais arrivé.

Ça, c'est bien
la pie !

Pauvre pie. Qu'est-ce qu'on
va faire ?

Je ne sais pas.
Nous pourrions la cacher.

Non, c'est un accident. Allons
prévenir les autres
animaux de
cette terrible
nouvelle.

Nous enterrerons la pie tous
ensemble. Et plus tard, nous
raconterons le drame.

Mais qui êtes-vous ?
Et où est la pie ?

Elle est au fond
du trou. Je me
présente : je suis
un cousin lointain
de la pie.

J'ai appris la triste nouvelle et je suis venu me joindre à vous pour pleurer la mort de ma chère cousine.

Soyez le bienvenu.

Courage.

Chers amis, nous sommes
aujourd'hui terrassés
par le chagrin.
La pie, cet oiseau
au plumage majestueux,
nous a quittés ce matin.

Nous l'aimions
de tout notre cœur.

Je vais demander à chacun de prononcer quelques mots pour la pie.

Sanglier, si vous voulez commencer.

Moi ?

Euuh …
Voyons…
La pie …

… Cet oiseau
au plumage
majestueux …

Le hérisson sera
peut-être plus bavard.
Hérisson ?

C'est-à-dire...

Alors comme ça, y'a
personne qui a un mot
gentil pour la pie !

Hum... je veux
bien essayer !

La pie était gentille
malgré des sautes
d'humeur assez
pénibles. Elle avait
très mauvais caractère.

 Mais enfin
le cerf...

... c'est tout ce que vous
avez à dire sur un
animal qui vient juste
de nous quitter !

Et puis d'abord,
comment est-il
mort, hein ?

Mentalo,
une idée
peut-être ?

Moi ?

La pie est morte…
euh … comment
vous dire …

La pie est morte
à cause de …

La pie est morte
à cause de moi.
J'ai voulu la
cuisiner en sauce.

Gooooooooooh !

Je l'ai suspendue par
les pattes et voilà,
elle a fait un malaise.

Flan !

Une
sauce à
quoi ?

Une sauce aux
petits oignons.

Inff.

Hum !
Tu les fais
dorer, les
oignons ?

Oui. Puis tu ajoutes
de la moutarde...

Infff.

...et du citron.

Tu badigeonnes ta marinade sur la volaille...

Hummmmm !

Ça me donne l'eau à la bouche.

Tu veux goûter ?
Snfff.

La sauce est prête !

Ce n'est tout
de même pas
le moment.

Bien sûr que si ! Nous pouvons
très bien nous souvenir de la
pie tout en mangeant un peu
de sauce.

Au contraire !
Ça nous aidera
à surmonter
notre chagrin.

Mentalo,
va chercher
la marmite
de sauce !

Cousin, vous qui avez fait un long
voyage, vous accepterez bien un
peu de sauce ?

Un peu,
alors.

104

Slurp!

Miam

Miam

Miam

Miam

Allez Mentalo,
viens goûter !

Je ne peux pas.

Miam

Je suis noué.

C'est quoi
ça ?

Faites voir !
C'est comme des
poils de quelque
chose.

Un animal
à poils durs…

Ça ressemble
aux moustaches
de Cousin.

COUSIN !

Mais c'est
la pie !

C'est la pie !
Ma pie chérie !

Ma pie d'amour !
Ma chère pie !

Tu es
vivante !

Elle est vivante !

Oh
oui.

Chouette !

La pie !
Pardonne-moi !
Tu veux un massage ?
Un bonbon ?
Un peu d'eau ?
Un bain ?
Des lunettes ?
Viens là, mon cher oiseau !

Lâche-moi !
Sale bête !

Mentalo, Grignotin,
je suis très en colère.
Capturer un animal de la forêt
pour le cuisiner,
c'est monstrueux.

111

De toute façon,
personne ne m'aime
dans cette forêt.
Je ferais aussi bien
de partir.

Oh non, la pie !
Pas maintenant
que nous t'avons
retrouvée !

Ma pie jolie, ma douce pie.
Je t'aime pour le restant
de mes jours et tous
les animaux t'aiment
d'un amour éternel.

112

HEIN LES ANIMAUX
QUE VOUS AIMEZ
LA PIE ?

Nous l'adorons !

Bon ça va,
pose-moi.

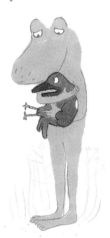

Tiens la pie, finis la sauce.
Tu l'as bien
mérité.

Alors, elle est comment
cette sauce ?

Ron pchu

Elle est
bonne.

C'est bien.

Ron pchii

Hum.

On est bien là, quand même,
tous ensemble.
Tous les animaux...
On s'aime.

115

On est sauvages
mais on s'aime.